AS FALAÇÕES DE FLÁVIO

Rogério Trentini

Ilustrações
Daniel Almeida

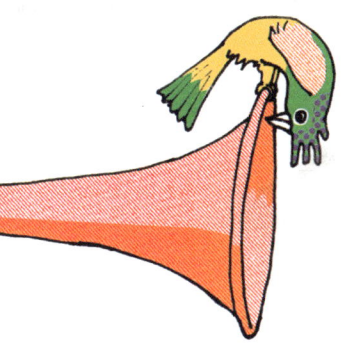

Companhia das Letrinhas

Grafia atualizada segundo o Acordo Ortográfico da Língua Portuguesa de 1990, que entrou em vigor no Brasil em 2009.

Projeto gráfico
DANIEL ALMEIDA

Revisão
VIVIANE T. MENDES
ANA LUIZA COUTO

Tratamento de imagem
AMÉRICO FREIRIA

Dados Internacionais de Catalogação na Publicação (CIP)
(Câmara Brasileira do Livro, SP, Brasil)

Trentini, Rogério
    As falações de Flávio / Rogério Trentini; ilustrações Daniel Almeida. — 1ª ed. — São Paulo : Companhia das Letrinhas, 2013.

    ISBN 978-85-7406-617-2

    1. Literatura infantojuvenil. I. Almeida, Daniel.
II. Título.

13-11442   CDD-028.5

Índices para catálogo sistemático:
1. Literatura infantil 028.5
2. Literatura infantojuvenil 028.5

2013

Todos os direitos desta edição reservados à
EDITORA SCHWARCZ S.A.
Rua Bandeira Paulista, 702, cj. 32
04532-002 — São Paulo — SP — Brasil
Telefone: (11) 3707-3500
Fax: (11) 3707-3501
www.companhiadasletrinhas.com.br
www.blogdacompanhia.com.br

Esta obra foi composta em Minion Pro e impressa pela Geográfica em ofsete sobre papel Paperfect da Suzano Papel e Celulose para a Editora Schwarcz em novembro de 2013

De Flávio, o Falante, você pode me chamar.
O meu nome é assim mesmo e eu não falo por falar.

Falar é contar histórias, conversar, se expressar.
Falar é entrar em acordo: dê licença pra eu falar?

Dizem que falar é fácil, coisa em que não acredito.
Às vezes é bem difícil: depende do que é dito.

Há os que gritam, não falam, e há os que falam a esmo.
Dos outros é feio falar: falo apenas de mim mesmo.

Eu falo palavronas e também falo palavrinhas.
Já aqueles palavrões quem fala é minha vizinha.

Falo não só pela boca, falo pelos cotovelos.
Falo também com os olhos, falo até com os cabelos.

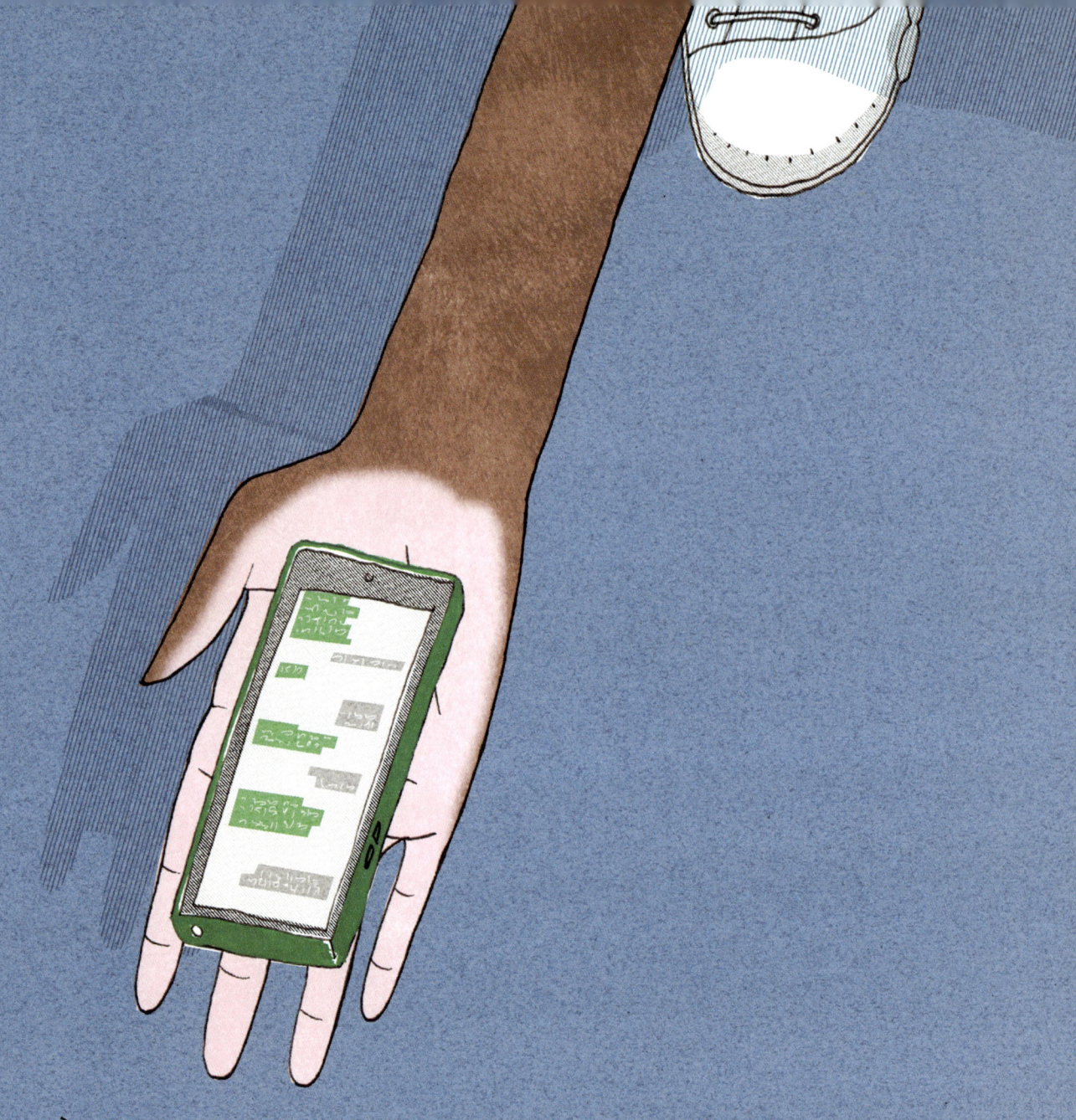

Às vezes eu me embanano e falo muita abobrinha.
Às vezes eu falo tanto que escapa até uma mentirinha.

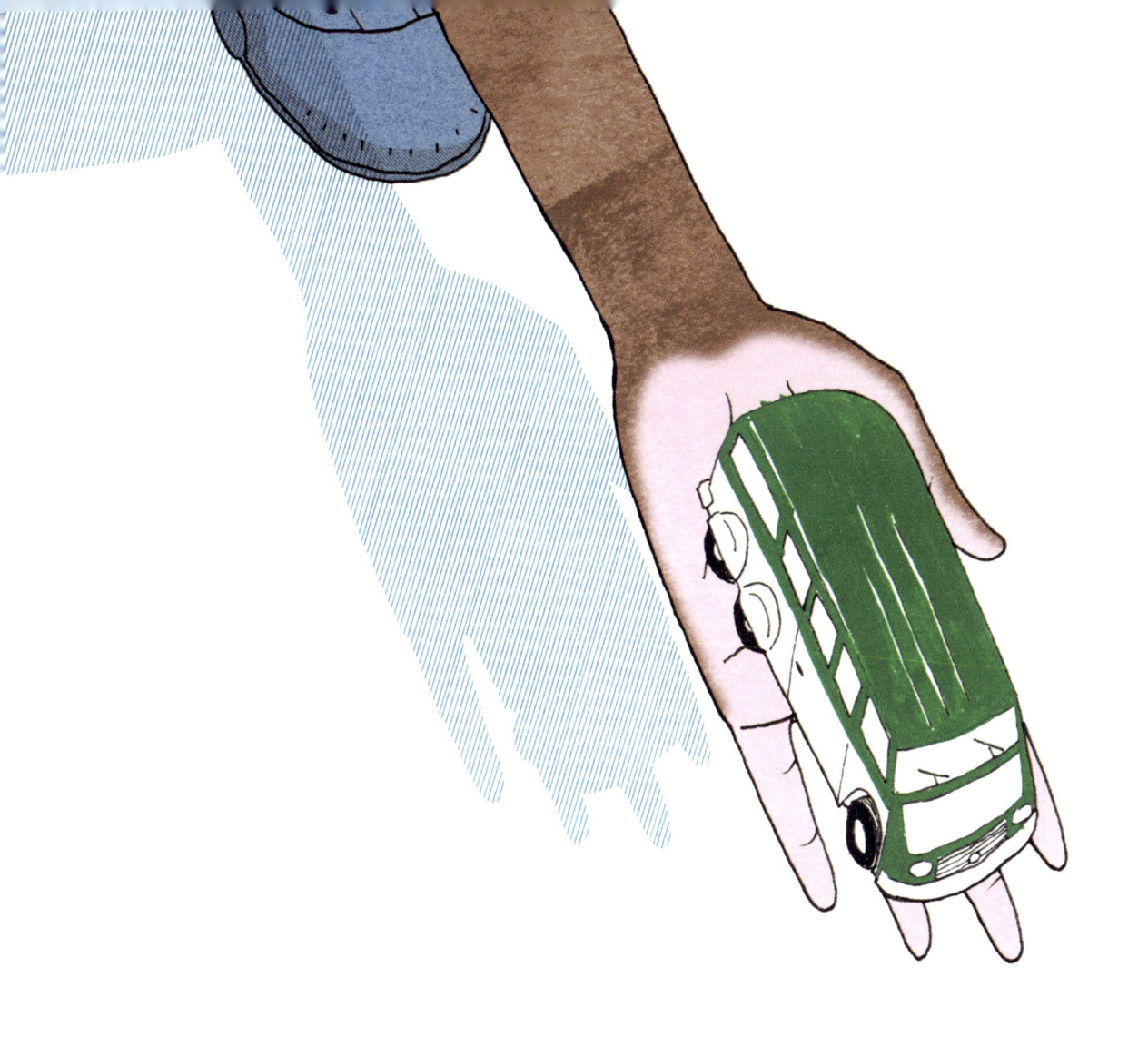

Às vezes eu falo grosso, mas às vezes falo fino.
É que às vezes já sou moço, outras vezes sou menino.

Quando estou com vergonha, passo a falar pra dentro.
Se estou mais à vontade, em qualquer conversa eu entro.

Há lugar de falar alto e há lugar de falar baixo,
só que eu sempre fico quieto se estou onde não me encaixo.

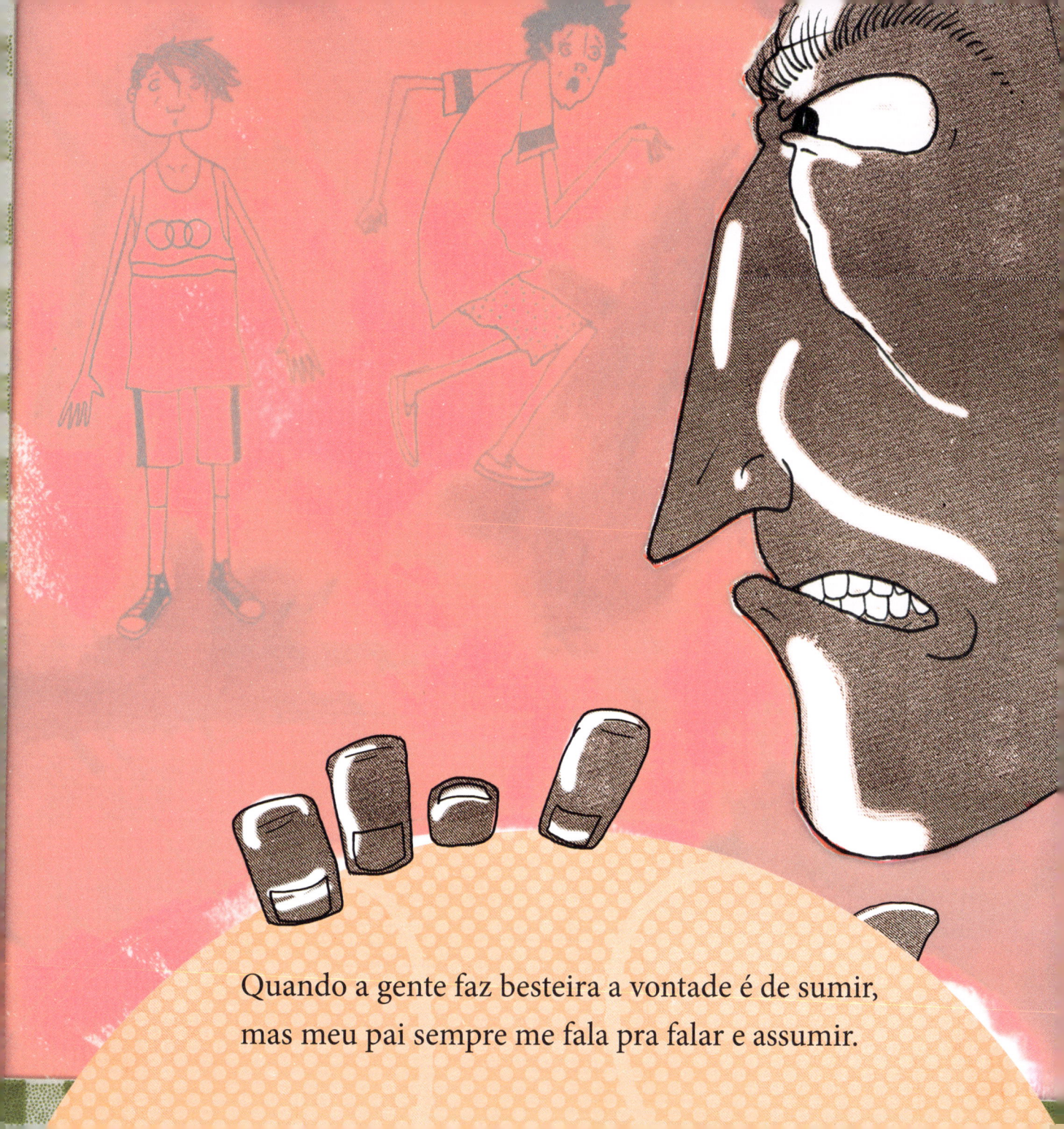

Quando a gente faz besteira a vontade é de sumir,
mas meu pai sempre me fala pra falar e assumir.

Eu tenho um amigo mudo, que fala até demais.
Ele fala com as mãos, na linguagem dos sinais.

Falam que sou bom de prosa, mas também falo poesia:
fala a nuvem quando chove, fala a ave quando pia.

Minha avó tinha um papagaio que adorava um falatório.
Falou tanto na minha orelha, quase fui pro sanatório!

Às vezes muita conversa só serve pra ficar rouco.
Antes de abrir o bico é melhor pensar um pouco.

Nem sempre é coisa de louco ficar falando sozinho.
Ao falar com meus botões eu sempre falo baixinho.

Pra falar com alguém bem longe eu uso o telefone,
já se é pra falar cantando preciso de um microfone.

É preciso ter cuidado ao cair na falação:
se alguém fala o que não faz, falam que ele é falastrão.

Se aprendo palavras novas não as paro de falar.
Aprender, eu falo sempre, é como um despertar.

Só que às vezes levo bronca por falar o que dá na telha.
É que quando um burro fala o outro abaixa a orelha.

Foi assim que confirmei o que tanto ouvi falar:
que muito mais importante é a hora de calar.

Chegou a hora de ir embora, chega deste blá-blá-blá.
Já ouço minha mãe gritando: "Flávio, venha jantar!".

Então deixo uma mensagem agora que estou indo:
tudo que falei aqui eu aprendi lendo e ouvindo.

Depois que o livro acaba, ele começa de verdade:
agora que você me ouviu pode falar à vontade.

Falou?

SOBRE O AUTOR E O ILUSTRADOR

Rogério Trentini escreveu este livro de boca fechada.
Ele diz que só escreve pra falar com a molecada.

Daniel Almeida ilustrou este livro sem pestanejar.
Desenhar é a maneira que ele encontrou de falar.

Falam que Rogério e Daniel nasceram no mesmo ano.
Mas isso já faz tanto tempo que talvez seja um engano.

Os dois querem que este livro, que fala do menino falador,
seja só mais um motivo pra você ler — e ouvir — com amor.